Classical Composers

Clair de Lune

Claude Debussy
Arranged by John W. Schaum

Schaum

67-08

HAL•LEONARD®

Clair de Lune

Claude Debussy
arr. by John W. Schaum

poco cresc.
meno mosso

p
mp
p
mp
mf
rit.
p
Andante
pp
p
pp
p
mp
pp
meno mosso
pp
p
p
pp
p
8va
pp morendo una corda
rit.
ppp